탱고어페어

탱고어페어

발　행 | 2023년 12월 19일
저　자 | 김수영
사　진 | 위성환
펴낸이 | 한건희
펴낸곳 | 주식회사 부크크
출판사등록 | 2014.07.15.(제2014-16호)
주　소 | 서울특별시 금천구 가산디지털1로 119 SK트윈타워 A동 305호
전　화 | 1670-8316
이메일 | info@bookk.co.kr

ISBN | 979-11-410-5961-3

www.bookk.co.kr

T A N G O A F F A I R

탱고어페어

‖ 탱고시 100편 ‖

김수영 지음

‖ 감사의 말 ‖

시로 전화된 탱고는 보잘 것 없었다.
탱고라는 춤의 아름다움을 보여주기에는 너무나 역부족이었다.
그런데도 이렇게 15년여의 여정을 정리해보는 것은
조그만 편린이라도 보여주었으면 하는 바람 때문이다.
100편의 시편을 모았다.
탱고를 추는 것만큼이나 탱고시를 쓰는 것은 행복했다.
그동안 독자가 되어주셨고 응원해주셨던 땅게로스 분들에게
깊은 감사의 말씀을 전한다.

2023년 12월 김수영

차례 | 탱고어페어

제1부 탱고어페어

제2부 나는 땅고, 이 춤을 잘 춘다

차례 | 탱고어페어

제3부 10분의 사랑

제4부 이리도 아름다운 음악

용어설명

땅고·탱고 Tango **/ 아르헨티나 탱고**

스페인어로는 '땅고', 영어로는 '탱고'라 하는데, 땅게로스들은 이 춤의 기원을 강조하고 다른 유형의 탱고(콘티넨털 탱고 혹은 댄스스포츠 탱고)와 구분하기 위해 '땅고'를 더 선호하는 편이다. 이 책의 시편들에서는 혼용해서 쓴다.

땅게로Tanguero **/ 땅게라**Tanguera **/ 땅게로스**Tangueros

땅게로는 탱고 추는 남자, 땅게라는 탱고 추는 여자, 땅게로스는 탱고 추는 사람들을 의미. 유사한 용어로는 탱고클럽인 밀롱가에 정기적으로 드나들면서, 탱고를 일상으로 살아가는 사람을 뜻하는 **밀롱게로 / 밀롱게라 / 밀롱게로스**가 있다.

살론 땅고/탱고 Tango de Salon

일반사람이 클럽 등에서 추는 우아하면서도 절제된 동작을 특징으로 함. 살롱 탱고와 대비되는 것은 동작이 큰 '에세나리오' 혹은 '스테이지 탱고'

밀롱가Milonga

춤추는 장소를 의미하며 빠른 박자의 탱고곡을 의미하기도 함. 박자별 구분으로 탱고(4박자), 발스(3박자, 왈츠), 밀롱가(2박자)로 구분

딴다Tanda **/ 꼬르띠나**Cortina

딴다는 '교대, 순서'라는 뜻. 춤의 교체(시작, 종결)를 위한 한 묶음을 음악을 의미. 딴다와 딴다 사이가 꼬르띠나 (커튼, 휘장)인데 탱고 음악이 아닌 음악을 틀면서 파트너 교환과 휴식의 시간을 제공

까베세오/까베 Cabeceo

눈짓과 고갯짓을 활용하여 춤 신청을 하는 것을 말함. 춤 신청의 정석적 방법임

용어설명

다음은 **<탱고의 주요 동작>**이다

아브라소Abrazo ‘안기’. 탱고는 한 쌍이 서로 안고 추는 춤임

살리다Salida ‘나감’ ‘출구’. 탱고에서는 기본 스텝을 의미

오초Ocho 숫자 8의 뜻. 8자를 그리는 듯한 동작을 지칭

히로Giro ‘회전’을 뜻함. 메디오 히로는 반半회전을 의미함

사까다Sacada 파트너를 다른 곳으로 보내면서 그 자리로 들어가는 동작을 말함. 영어로는 ‘replacement’

빠라다Parada ‘멈추기’ 멈추어 세우는 동작을 말함

볼레오Boleo 획 감아서 돌아오는 동작을 말함

빠우사Pausa ‘정지해 있는 상태’를 의미함 영어로는 pause

까덴시아Cadencia 박자, 리듬, 율동적인 흐름을 의미

끄루세Cruce 발을 교차하는 동작, 영어로는 cross

엔간체Enganche 상대 다리를 감는 동작. 간초Gancho(다리걸기)동작의 갈래

아도르노Adorno 장식 동작

다음은 **<주요 탱고 오케스트라>** (감독 이름)이다
다리엔소 디살리 뜨로일로 까나로 뿌글리에세 딴뚜리 다고스띠노 비아지 데마레 프레세도 깔로 등이 있다 (**가수는 루피노 마리노 피오렌띠노 샤넬 바르가스** 등이 있다)

<악기 이름>으로는 **반도네온 바이올린 콘트라베이스(꼰뜨라바호) 트럼펫** 등이 있다

제1부

탱고어페어

나를 봐요

이 음악이 벌써 한 소절 지나갔어요

나를 봐요

당신을 보고 있는

나를 봐요

우리는 오랜만에 추는 거니까

몇 번의 밀롱가에서 까베가 안되어 포기할 뻔했던 그녀였다

그런데 오늘은 그 까베가 된다

첫발을 내딛는데 스텝이 꼬여 발을 밟게 됐다

그녀가 대뜸 한다는 얘기

우리는 오랜만에 추는 거니까

그랬다

우리는 오랜만에 추는 거니까

스텝이 꼬여 발을 좀 밟아도 괜찮다는 뜻이었다

그랬다

우리는 참 오랜만에 춤을 추었다

'우리'라는 그 정의가 참 듣기 좋았다

고통 감수성

쿨한 그의 까베에서

그의 고통이 느껴진다

대놓고 내게 와서 말이라도 붙여보지

그러지 못하는 건지 안하는 건지

나도 모르는 바가 아니다

까베할 이를 다 빼앗기고 멍하니 플로어 구석에 나 홀로 서 있었던 적 한둘이랴

루피노 혹은 모란, 딱 좋아하는 딴다를 흘려보내며

그래 이 음악은 듣기만 해도 좋지, 하며 피 흘리던 적 한두 번이랴

내 고통이든 그의 고통이든, 짐짓 모른 체함은

기쁨이란 이름, 즐거움이라는 정의를 가진 밀롱가의 정체성을 훼손하고 싶지 않아서이다

나의 고통은 내가 알아서 나의 우아함으로 감싸고

그의 고통은 그가 알아서 그의 쿨함으로 감쌀 것이기 때문이다

그에게는 나름 절실한 까베의 이유가 있었고

나는 그걸 흔쾌히 받지 못할 나름의 사정이 있었다

그래도 손가락 마디 하나가 아프다

그 손가락 마디 하나 때문에 내 몸이 아프다

까베의 역설

끝없는 까베의 번뇌

도대체 이게 할 일인가 싶어

밀당의 연애 시절을 보낸 지 언제라고

뇌가 간질간질 심장이 찌릿찌릿

다시 연쇄 까베의 운명에

단칼에 금연하듯이 끊어내야지 싶다가도

저만치서 정확히 보내져 온 눈길

코르티솔과 도파민 범벅인 곳에서도

저런 차분하고 이유 있는 눈길이라니

그래 가 보자

오늘 일주일 치의 힘을 얻었으니

더 가 보자

무빙Moving

나는 돌덩이를 차고 춤을 추어

나는 징들이 촘촘히 박힌 키높이 구두를 신어

붕 뜨지 않게 날아가는 일 없게

그런데도 어떨 땐 힘들어

아슬아슬하게 플로어에 발 딛고 있기가

저 멀리 까베가 날아올 때부터

그 사람의 심장 소리가 들려

저 사람 무사할까 싶어

어떨 땐 잠잠하다가 갑자기 비피엠BPM이 치솟는 사람도 봤어

그래도 죽는 사람은 보지 못했지

걱정마

꼬라손이 치명적이진 않아

좀 불편한 일일 뿐인 거야

까베세오 - 뒤돌아보기

때로 당신은 까베Cabeceo의 신공을 보여주셨습니다.

당신이 늘 앉는 테이블에서는 시선의 방향이 플로어 쪽이 아니라 오른쪽 방향을 바라보았기 때문에 당신과 눈 맞추기 위해서는 제가 늘 앉는 쪽에서 백 마일을 돌아가야 했습니다. 70마일쯤 갔을 때 당신이 시선을 45도 정도 돌려 까베가 성사될 때도 있었고 95마일 정도 가면 정면 시선이 확보되어서 그제야 저는 긴 여행을 마치고 당신을 플로어로 이끌 수 있었습니다. 그런데 그 순간 테이블 바로 옆에 있던 이가 당신을 낚아채듯 데리고 나가 긴 여행이 무색해지는 때가 더 많았습니다.

…

때로 당신이 까베의 신공을 보여주셨던 것은 그 먼 여행의 걸음을 내딛기도 전에 당신의 뒷모습을 바라보고 있을 때 135도 정도의 각도를 틀어 뒤돌아볼 때입니다. 당신이 뒤돌아볼 때 제가 얻어걸린 것인지 제 시선을 느끼신 것인지는 모르겠습니다. 뭐라든 상관없습니다. 그때 당신의 목선과 턱선은 아름다웠고 무엇보다 그 뒤돌아보기 각도가 예리하고 아름다웠습니다. 그렇게 해서 까베가 성사될 때 제 비피엠BPM은 이미 100을 넘어서고 있었을 거 같습니다.

까베세오 - 일직선으로

당신의 까베는 늘 정확했습니다. 좌우로 흔들리지 않고 정확히 일직선으로 제 눈을 쳐다보셨습니다. 말하자면 이런 상황이었죠. 제가 앉은 테이블에는 두루두루 당신과는 다들 알고 춤추는 사이라서 그 누구라도 당신이 까베를 보내올 수 있고 그 누구라도 당신과 춤추고 싶어 해서 까베가 오면 바로 맞까베를 보낼 준비가 되어 있었단 말이지요. 그 상황에서 당신은 내게 까베를 보내왔(다고 저는 생각하)고 나는 그냥 웃음으로서 답하고 그래도 혹시 옆 사람인가 하고 100퍼센트 확신은 못한 채 앉아있으면 당신은 시선을 내게 고정한 채로 10여 미터를 곧장 걸어와서는 나를 플로어로 이끌고 가셨죠. 상황은 조금씩 달랐어도 이런 식이었지요.

생각해보면 당신의 까베는 눈으로도 마음으로도 직진형으로 쿵-하고 들어오는 식이어서 그 명쾌함과 정확함이 좋았었는데 더 좋았던 것은 제게로 발걸음을 내딛기 전에 꼭 저를 살피고 서로의 눈웃음을 확인한다는 것이었죠.

…

때때로 당신의 정확하고도 정중한 눈동자, 그 까베의 눈 맞춤이 그리워지곤 합니다.

까베세오 - 실패 연대기

당신과 까베하기 위해 저는 꽤나 노력을 기울였었네요. 당신과의 춤을 꼭 성사시키고 싶어서였죠. 그건 저 먼 아따니체 시절까지 거슬러 올라갑니다. 그 여정은 그 이후로도 엘땅고 오나다 라벤따나로 이어집니다. 10미터 5미터 심지어 1미터 반경 안에서도, 시도되고 실패하고 시도되고 실패합니다. 그리고는 문득 내려놓았지요. 당신에 대한 원망의 마음은 품지 않았습니다. 오가며 가벼운 인사도 나눕니다. 까베가 성사되지 않았다는 게 특별한 일은 아니기 때문이지요. 오히려 까베가 성사된다는 것이 매우 매우 특별한 일이고, 매우 매우 특별한 일이 당신과 나 사이에 일어나지 않았다고 해서 당신을 원망할 일도 나를 좌절시킬 일도 아니기 때문이지요.

....

그래도 당신을 종종 마주칠 때면 슬픔의 마음이 조금은 아주 조금은 일어납니다. 영 그렇지 않을 일은 또 아니겠지요.

탱고 앓이

보일러로도

전기장판으로도

녹여낼 수 없는 게 있었던 거지요

당신을 찾고 또 찾고 했던 거요

뜨거운 커피로도

김치국밥으로도 풀어지지 않는 그것이요

당신을 찾아가지 못할 때는

미열이 올라오는데

다 떨쳐내 버리지 못하는 감기 잔열 오한 같은 거요

그냥 팍 아팠으면 좋겠어요

앓고 나서 딱 떨쳐 일어나게

그것도 아니고 참~

우리의 이별은

인사를 나누고 건널목을 건너던 그대가

다시 되돌아볼 때

그 짧은 순간 불그스레한 얼굴

초롱 빛나던 눈빛

건널목을 건너올 때

거의 다 건너올 때까지

그대가 건너편에 그대로 서서

눈빛을 거두지 않는 것을 느꼈어요

아니면 그러길 바랐던 걸까요

과연 그대는 따뜻한 눈빛으로 날 배웅하고 있었어요

우리의 이별은 이랬으면 좋겠어요

눈물이 나요

당신이 표정이 궁금합니다

저랑 춤출 때 당신의 표정이 어떤지

고개를 살짝 기울이고 눈을 감고

옅은 미소 짓고 있는지

드문드문 그 옅은 미소가 화안한 웃음으로 번지고 있는지

다른 이랑 춤출 때 그러하듯이

저랑 출 때도 그 행복 야릇한 표정을 짓고 계시는지

궁금합니다

앞서 추던 이와 출 때만큼 딱 그만큼이라도

제가 그런 표정 만들어 드리고 있다면 참 좋겠는데

저는 볼 수가 없습니다

저는 알 수가 없습니다

머리카락이 웃는다

남자는 입으로 웃지만

여자는

머리카락이 웃는다

손등이 웃는다

목덜미가 웃는다

팔찌도 웃고 있다

마스크 해방일

그녀들의 빨간 입매가 도드라졌다

머리카락이 코와 입술을 간질인다

입꼬리 올라가는 이

입을 살짝 벌리고 숨 쉬는 이

우리 모두

하관의 관능을 되찾은 날

비非마스크 파派

마스크를 벗은 그녀의 입맵시가 예뻤다
턱선이 저리도 갸름할까 싶었다
딴 남자들이랑은 곧잘 웃곤 했는데
어떻게 마스크 아래 저 모습을 감추고 있었을까 싶다
내보이고 싶어 애달팠을까
정작 본인은 모르고 있을까
나에게도 저런 미소를 나누어줬으면 좋으련만

그런데, 그런데 말이다
어렵사리 까베가 되어 춤추게 되었는데
어설픈 농담 비슷한 말을 하자
("저희는 비 마스크 파네요")
처음에는 못 알아듣다가 이내 무슨 말인지 알아듣고선
피식 웃음 짓는다
그래, 저 천상의 미소가 내게서도
아주 멀리 있지 않았구나

심장 소리

늑골이 부딪히는 춤을 췄다

두둑- 두둑-

그 더 안쪽으로부터

두둥 둥- 두둥 둥-

싱꼬빠 리듬의 꼰뜨라바호 들려왔다

숨소리

막막한 숨소리

그대 늑골로부터

내 늑골로 퍼지며 울려오는 소리

명치끝에서부터

명치끝으로 울리며 커져가는 소리

어떡해야 하나요

숨소리마저 절 막막하게 하는 당신

숨소리마저 춤인 당신

어디까지 절 데려가실 건가요

탱고여 살롱 탱고여 1

그대 깊숙한 살리다는

한걸음만으로도 나를

이국의 어디 먼 곳으로 데려다 놓은 듯했지

그곳은 햇볕 좋은 어느 골짜기 언덕인 듯도 하고

가로등불이 매우 따뜻한 어느 강변인 듯도 했지

그대 묵직한 사까다는 한 번의 감아듦으로

어딘가로 나를 붕 띄워 놓은 듯했지

그곳은 달빛 스미어든 구름이거나

은빛으로 부서지는 어느 한적한 바닷가이기도 했지

한 바퀴 그리고 또 한 바퀴

히로가 지나간 자리, 내 맘은 여전히

소용돌이처럼 빙빙 돌고 있는 듯했지

돌이킬 수 없는 길인가 싶었지

얇은 셔츠 한 장만 사이에 두고

우린 때로 너무 가까웠고

둘만의 헤드폰을 끼고 둘만의 음악을 듣는 것처럼

우린 때론 너무 아스라이 멀어져갔지

땅고 에스 우나 이스토리아 데 도스 페르소나스

(Tango es una historia de dos personas)

탱고는 두 사람 사이의 밀어

그대와 나만이 떠나는 밀월여행

탱고여 살롱 탱고여 2

탱고는 냄새를 맡는 것이라 했지
그윽이 숨을 들여 마시는 것이라 했지
탱고는 바닥을 핥듯 쓰다듬듯 끼익 끼익 거리는
그대 힐 소리를 귀담아듣는 것이라 했지
먼지 한 톨 한 톨 쓸어내듯 어루만지듯
서걱거리는 내 발자국 소리도 함께 들려주는 것이라 했지
탱고는 두려움 없이 여자이고자 했던 그대를
두려우나 그러나 머뭇거림 없이 안아주는 것이라 했지
나 역시도 상처받은 영혼
자유이고자 했으나 외로웠던 나를 두려움 없이
그대에게 통째로 안기는 것이라 했지
땅고 에스 우나 이스토리아 데 도스 페르소나스
(Tango es una historia de dos personas)
탱고는 두 사람 사이의 밀어
그대의 이야기이며 나의 이야기
둘만이 냄새 맡고 귀 기울이며 서로에게 스미는

땅고 – 접촉

땅고 – 접촉하다

그때, 소름이 돋았지

그대 발 옆등이 내 발 옆등을

비아지 리듬으로 부벼누르고 넘어가던 순간

땅고– 듣다

그때, 그리 큰 소리가 들릴 줄이야

그대 명치 끝에서 내 머리통까지

쿵쿵 울리던 심박 소리

땅고 – 기억하다

내 가슴에, 가빠지는 나비 날갯짓을 남긴 이들이여

그 날갯짓들이 겹치고 겹쳐

이리도 여리게 만들었는가

땅고 – 아리다

그대 부여잡고 있는 이 순간에도

손

네 손이 내 등짝에 붙는 순간

찌릿 내 몸에 불이 들어왔다

내 오른손으로도 네 몸에 불이 켜지는가

등을 덮은 손바닥은 한올 한올 근육의 움직임을 감지하고

척추 선에 닿은 네 손가락은 내 마음마저 들킬 듯하다

아득한 압박

나는 너를 조금 풀어놓는다. 너도 나를 풀어놓는다

그리고...다시 맞닿은 손과 등

서로는 알고 있다 내어주고 감싸 안는다

손은 수줍고,

손은 대범하고,

손은 행복하다

춤 끝나고 손 거두었어도

내 몸은 한동안 불이 꺼지지 않는다

등과 손이 만나

네 등에 손을 얹으면

그냥 든든해

나는 그냥 눈 감을 수 있어

네 등이 이끄는 대로 가면 되거든

내 등에 네 손이 얹어지면

편안하고 좋아

길을 잃지 않고 어디로든 갈 수 있어

네 손이 딱- 받쳐주고 있으니까

5센티 더 가까이

나의 심장을 옮겨 놓는다

그의 심장과 더 가까운 곳으로

상상의 컨택포인트라고 해 두자

피부 면에서 5센티 더 들어간 곳이라고

그의 축에 나의 축을 겹쳐 놓을 듯이

그렇게 5센티만 더 앞으로

나의 심장을 그의 심장 더 가까이로

....

그가 반응해 온다

자기 가슴에 내 가슴을 넣어준다

마이너스 5센티

마이너스 5센티

그리도 가까웠던 사람이

그리도 무심히 멀어질 수 있다니요

2개월 만에야 당신을 안았군요

무심히 지나치더니 아스라이 멀리 있더니

단박에 다시

마이너스 5센티

그녀의 등을 외롭지 않게

그녀가 화를 내었다

왜 더 안아주지 않느냐고

깊이 밀어올리라

오른쪽 가슴마저 내어주어라

그리 말하지 않았느냐고

그러면서 나의 등은 외롭게 놔두느냐고

그 탄탄한 팔뚝과 보드라운 손바닥으로 더

따뜻하게 감싸주지 않느냐고

쓸쓸한 바람 막아주지 않느냐고

더 깊이

단단히

외롭지 않게

으스러지진 않아도 좋아

셔츠 보푸라기

감기와 사랑은 숨길 수 없다 했는데
탱고 흔적도 그러한가
셔츠 오른쪽 가슴 아래가 보푸라기가 확연한데
이걸 설명할 길이 없네
누구는 부비부비의 흔적이라는데
냅다 아니라고 말해놓고
그 다음 할 말이 없네

그냥 이대로 있어요 우리

당신 어깨 위로 내리쬐는 이 빛을 어찌할까요
그대 등을 환히 밝히는 그 빛은 어떻고요
그냥 이대로 있어요 우리
음악의 섬광 속에
빛의 축복 속에
서로의 품에 안긴 채로

제2부

나는 땅고, 이 춤을 잘 춘다

나는 땅고, 이 춤을 잘 춘다 1

남자인 그가 막힘없이 춤추고 있을 때
여자인 나는 오롯이 자리를 지켰다
목이 말랐고 다리가 떨렸다
표류하듯 내던져진 불모의 밀롱가
7년 차인 그는 거침없이 플로어를 누볐고
춤추는 모든 이들에게 온전히 몰두하는 듯했다

그랬다 그래야겠지
열 사람을 사랑하는 곳
하나하나씩 사랑하고 하나하나씩 내려놓는 곳
이곳은 밀롱가 요지경 환상의 밀롱가
그랬다 나도 그래야겠지
옷을 갈아입는다 구두를 갈아신었다
세상에나 지금껏 해본 적이 없었다
낯선 남자에게 미소를 던지다니
그도 웃었다 춤추고 난 뒤에 더 활짝 웃는다
그랬다 그래야겠지

나는 살아있고

나는 아름답고

나는 여자다

나는 땅고, 이 춤을 잘 춘다

그가, 처음의 그 남자가 물 한잔 건넨다

불모의 사막 한줄기 선인장 겨우 피워낸 내게

축하라도 하려는 뜻인가

나는 땅고, 이 춤을 잘 춘다 2

그가 0.8 걸음의 리드를 한다
0.2의 리드가 마저 올 때까지 기다린다
그가 0.8 리드마저 거두어간다
나는 한동안 오른 발로만 버티고 있다
그가 마냥 심술궂게 한쪽 발로만 세워두지 않으리란 걸 알고 있기에
발을 내딛지는 않는다
이어지는 스윙 스텝
왼발 오른발을 깃털처럼 가볍게 바꾸어 딛는다
이제는 왼발
그래 버티길 잘했다

그가 다시 0.8의 리드를 해온다
나는 리드 범위를 이탈해야겠다 마음먹는다
그가 나를 그냥 팔로윙 안된다 생각해버리지는 않으리라 믿으며
발을 바꾸고 한 번 더 바꾼다
발을 한번 바꾼 순간 크로스cross 상태일 뿐이고
다시 한번 바꾸니 패러럴parallel로 되돌아왔을 뿐이다
탱고가 그렇다 그의 축을 흔들어놓지만 않으면 되었다
그는 당황조차 하지 않고 다음 스텝을 이어갔다

그래 잘했다

그는 고수임이 틀림없다

나도 고수다

나는 땅고, 이 춤을 잘 춘다

나는 땅고, 이 춤을 잘 춘다 3

나는 예쁘다

예뻐졌다
그 어느 낯선 이방의 밀롱가
어색함, 묘한 외면
한 듯 안 한 듯한 인사....그리고
단 한 번의 춤을 추었을 뿐인데

그 시작은 그랬다
한 번의 외면을 유쾌하게 넘기고
한 번의 까베 기회를 유쾌하게 낚아채었다
내일이 없을 듯이 우린 춤을 추었고
나는 꽤나 즐거우며 꽤나 능숙하게 리듬을 탔는가 보다
그 이방의 밀롱가에서
나는 그렇게 예뻐졌다
그 밤의 중심이 되었다

나는 땅고, 이 춤을 잘 춘다
나는 예쁘다

나는 땅고, 이 춤을 "완전" 잘 춘다

로맨틱함은 없었다
그래도 이리도 설렐 수 있다니
That's what I call Tango
다 잊혔던 엔간체가 살아났고, 잠자던 플라네오가 휘돌았다
스타카토로 그가 몰아치면, 나는 레가또를 내밀었다
프레이즈 프레이즈마다 딱딱 떨어질 때가 절묘했지만
그러지 않을 때도 좋았다
우리는 아브라소를 쉬이 풀지 못했고 이은 딴다를 또 추었다
반칙이라도 어쩔 수 없었다
남들이 어떻게 보든, 그건 내 상관할 바가 아니었다
오른쪽으로 한번 왼쪽으로 또 한 번 엔간체가 이어졌고
안쪽 허벅지와 안쪽 허벅지가 불꽃처럼 만난 간초의 순간도 있었다
그래도 로맨틱함은 없었다
춤 잘추는 이와 춤춰야 내가 춤을 잘 춘다
나는 땅고, 이 춤을 잘 춘다
그냥 잘 추는 정도가 아니었다
나는 땅고, 이 춤을 "완전" 잘 춘다

칭찬은 밀롱게로를 춤추게 한다

춤이 좋아요
편하고 좋아요
너무 부드럽고 좋은데요

이번 딴다 음악 좋습니다
놓치기는 아까운 음악이었죠
오늘 최고의 딴다였어요

당신에게 아르헨티나 필이 느껴져요
다시 밀롱가 필이 완전 살아나신 건가요
당신 발스 최고에요
당신이랑 추니까요

드레스 참 예뻐요 (당신도)
셔츠 멋져요 (당신도)

과일 냄새 나는 것 같아요 좋아요
오늘 베스트 드레서입니다

당신은 내게 음악을 들려주어요
음악을 함께 듣고 함께 연주하는 느낌
뮤지컬리티 짱이어요
아까 아도르노 좋았어요

다음에 또 춰요
다음에도 꼭 신청해 주세요
다음 신청할 때도 꼭 받아주세요

무차스 그라시아스
잘 췄습니다, 진짜로
막딴 저와 춰 주셔서 고맙습니다

이 모든 말이 좋다
아무 말 안 해도 내 손을 꼭 잡아주거나
등을 꾹 눌러주는 당신이 좋다
혼신을 다해 춤추게 한다

하이힐

9센티미터의 상승

그녀들은 거듭난다

하얀 발목, 갈색 플로어

둘을 엮어내는 형형색색의 뽐냄

부드러운 볼과 당당한 힐

돌고, 찍고, 쓰다듬고, 흘러간다

그녀들의 아름다움은 발목의 아름다움

발목의 아름다움은 구두의 아름다움

9센티미터의 도도함

9센티미터의 애절함

밤새 그녀들은 뒤척였다

오늘 그녀들은 새로 태어난다

레몬 빛 탱고 본능

저 허리춤에 탱고 본능
튤립 곡선의 탱고 본능
크로스 된 저 발끝에 탱고 본능
누군가에겐 안온함
누군가에겐 그리움
레몬 빛의 탱고 본능
© Sunghwan Wie

눈오는 날의 탱고

올리비아!
추운 겨울도 좋다 하셨지요
눈이 내린다면
추운 겨울밤이라도 좋다고

올리비아!
펑펑 눈 오는 날 춤추고 싶다 하셨지요
새벽 1시
아무도 밟지 않고 소복 쌓인 눈 위를
스걱 스걱 함께 걷고 싶다 하셨지요

올리비아!
그대는 안다 하셨죠
순백의 눈은 진창이 되고 얼음이 되어
우리의 신발을 더럽힐 수도 있고 찢어놓을 수도 있음을
그래도 그 시간은 뺏길 수도 잊힐 수도 없다는 것을

올리비아!
그 눈이 내려요
올겨울 처음

땅고, 시간의 춤 1

시간은 쌓여 아름드리 나무가 되고

시간은 흘러 마른가지 나무가 된다

나무는 시간이 쌓여가는 것이 행복하다

봄밤 이마에 내리는 달빛이나

여름밤 바짓단 밑으로 들어오는 바람이

마냥 흘러만 가지는 않았던 것은

나무 그 안으로도 흘러넘쳐서 나이테를 만들고 있었기 때문이다

그 보드라움이 거뜬히 함박눈까지도 안을 수 있기 때문이다

나무는 시간이 흘러가는 것을 사랑하였다

시간이 흘러 마른 가지 마른 껍데기 두꺼워지더라도

한바탕 빗줄기 그리워할 수 있기 때문이었다

그 님이 진짜라도 오는 날이면

아름드리 가슴 부풀어 오르고 잎들 소리쳐 일어나며

모든 추억들 다 다시 불러내고 오지 않은 시간들도 다 끌어당겨서

온몸 다 적셔낼 수 있기 때문이었다

고마워요, 오늘, 이런 딴다를 선사해주시다니

땅고, 시간의 춤 2

이사벨라!

우리 오래도록 이대로만 춤추자 했던 것이

7년 전이나요 8년 전인가요

시간은 무던히도 흘렀나 봅니다,

시간은 무서워서 1초 1분도 허투루 지나는 법 없이

꼬박꼬박 채워서 그 먼 길을 지나왔습니다.

그런데도 훅 – 하고 지나온 듯합니다

이사벨라!

그것은 그대가 이 자리에 지금은 없기 때문이겠죠

시간에 커다란 구멍이 뚫려서인 것이겠죠

그런데도 나는 구멍 난 시간들을 뚜벅뚜벅 걸어왔지요

땅고라는 이 춤이 마치 숨쉬기인 것처럼,

밥 먹는 것처럼,

동네 골목을 걷는 것처럼

이사벨라!

그대도 어디선가 춤추고 있는가요

오래도록 이대로만 춤추자 했던 우리 다짐은

온전치는 않지만 나름의 방식으로 지켜지고 있는 것인가요

나로부터 혹은 그대로부터 깨진 건가요

시간은 그대의 땅고를 무너뜨렸던 건가요 두텁게 어루만지던가요

그대 어 - 디 - 서 - 춤추고 계신가요

이사벨라!

오늘도 나는 숨을 쉽니다 춤을 춥니다

그때처럼

그대의 숨소리가 머무는 곳에서

2년 만의 아브라소

2년 만에야 다시 만났다. 마스크에 가려져 우린 눈빛으로만 알아봤고 그 눈빛으로 까베했다. 2년의 시간이 흐르긴 한 것인가. 그이의 품이 이리 편안했었던가.

그이가 반갑게 던지는 말인사는 우리가 그렇게 가까운 사이였나 싶었고 따뜻한 눈인사로 나는 그의 친밀한 오랜 친구가 된 듯했다. 밀롱가 밖 영하 10도를 단 5초 만에라도 녹일만한 품 인사에 이르러서는, 지금의 그이는 과거의 그이가 맞을까 당혹스러웠다. 시간의 기억은 믿을 수 없다. 기억은 가물거리기도 하고 기억은 선명하기도 했다. 나는 2년 전의 그를 잘 몰랐던 것일까. 지금에서야 그를 알게 된 것일까. 2년이라는 시간 동안 그이의 품이 부드럽게 무르익고 견고하게 다져진 것인가.

이 따뜻한 들뜸 앞에서 부지런한 발놀림은 장식일 뿐이고, 음악도 이 음악 저 음악 별반 다를 게 없다. 음악, 아브라소, 하체 움직임이라는 3각 황금분할의 균형은 깨지고 압도적 아브라소에 결박된 듯 나는 방향감각을 잃는다. 이 혼미함은 즐겨야 한다. 너무 오래는 말고. 그러더라도 그 여운은 오래 남는다. 그리움의 향기처럼 달콤하고도 아릿하다.

그이에게 나의 품은 어땠을지, 편안했을지 불편하진 않았을지, 낯설었을지 낯익었을지, 사뭇 궁금하다.

100번의 아브라소

작년 여름 당신을 처음 봤을 때
그 한 딴다만으로도 좋았다
참 좋구나라는 짧은 탄식 외에
어떤 바램도 생겨날 수 없었다
순식간에 벌어진 일이었다
내가 당신의 밀롱가를 찾고
당신이 내 밀롱가를 찾아 10번째 춤을 추고
20번째의 춤을 춘 것이
어찌할 것인가
단 한 번의 딴뚜리
단 한 번의 뜨로일로
단 한 번의 데마레만으로도 좋았을 그 숫자가
불쑥불쑥 더해져 가는 것을
어느 때쯤에 이르러
춤의 감흥이 쇠하여갈 것이 난 두려웠으나
20번째 30번째에 이르러서도 음악은 늘 달콤하였고
아브라소는 그 숨소리 깊어져 갔으니
이제는 어쩔 수 없구나 닥치고 춤 출 밖에
가 보아야 한다 깨지든 깨치든
100번의 아브라소로

내가 당신께 연애를 하자 함은

내가 당신께 연애를 하자 함은

그 10분간을 오로지 함께하자 함이었지요

우리는 우리만의 창의創意를 만들어내었죠

명치에서 배꼽 가까이까지 이어지는 깊은 컨택 라인을 만들었는데

히로와 사까다를 유려하게 해낼 수 있었죠

그걸 우리는 디소시아시온disociación이라 부르죠

상체와 하체를 분리시킨다는 그것 말이에요

상체는 함께하면서 다리를 자유롭게 하기 위해서는 그 연결고리인 허리를

유연하면서도 단단하게 단련시켜야만 했던 그것 말이에요

10분의 시간이 지난 뒤에는

짧은 담소 혹은 눈빛으로 나누는 고맙다는 말

그 이상의 약속을 할 수 없음을 알죠

그래도 당신께 10분간의 연애를 하자 함은

그 10분간 우리만의 창의, 우리만의 동선을 함께 만듦으로써

애틋한 우정을 키우자 함이었죠

오늘 당신의 몸은 따스했어요

예열된 듯 첫 곡에서부터 그러했는데

그게 점점 익어갔어요

푹 안고 있어도 될 만큼 너무 뜨겁지는 않게

늦가을 들 무렵이라 더욱 고맙게

땅고는 연인과 마지막 춤을 추듯

땅고는,
연인과 마지막 춤을 추듯

그때 나는 너의 작고 여린 손톱을
매만지고 또 매만지고 있지 않았던가
땀에 밴 머리카락을 바라보고
또 바라보고 있지 않았던가
네 콧날의 곡선을 한 번 더 살피고
발자국 소리와 바지자락 스치는 소리를
그리고 웃을 수는 없었던 입가의 움직임과
아 여전히 맑고 예뻤던 네 눈망울을 채워 넣지 않았던가
으스러질 듯 안고서 그 마지막 순간을
영영 놓지 않으려 하지 않았던가

사랑하는 이여 안녕
그대로 인해서 나는 행복했다

연인과 마지막 춤을 추듯이
땅고는, 그렇게

사진 천장 중 하나

사진 천장 중 하나였음 좋겠다

생의 마지막 길목에서 떠오를 스냅사진 천장 중 하나

하늘은 젖어 축축하고 밖은 어둑한데

지금 이곳은 막 우리만의 파티를 시작하려 한다

이곳은 들뜨지 않게 삶의 기쁨 노래하는 딴뚜리

순박한 로망 까나로, 이별의 슬픔에 굴하지 않는 디살리, 그들이 거하는 곳

그들과 함께 너와 내가 하룻저녁 머무는 안식처

그 외에 우린 나눌 것도 없고 약속할 것도 없다

다만 사진 천장 중 하나였음 좋겠다

생의 마지막 길목 내 주마등에 네 주마등에 떠오를 수백 수천의 사진중

이곳의 정경 그대로, 너와 내가 나눈 호흡 그대로

삶의 순간을 사랑하고 기뻐했던 그 정경 그대로

스냅사진 한 장으로 담겨 마지막 가는 길 동행했음 좋겠다

땅고는 거짓말을 못 하네

땅고는 숨길 수 없다네
당신의 숨소리 하나라도
당신의 깃털처럼 가벼운 움직임 하나라도

땅고는 그대로 알려 준다네
당신이 모범생인지 한량인지
교과서 신봉자인지 자유로운 영혼인지 그 사이 어니쯤인지
과학자인지 철학자인지 이론가인지 행동가인지

땅고는 거짓말을 못 한다네
당신의 가슴이 사정없이 쿵쾅거릴 때
달아오르고 떨려올 때
혹은 싱거워져 한눈을 팔거나 짜증이 차오를 때
모를 수가 없다네
모른 척할 뿐이네

마일리지를 내세우건 지위를 내세우건
통하지 않는다네
가슴을 맞댄 그 순간 다 들켜버리고 만다네
진심의 순간들만이 그 시간의 축적물만이
오롯할 뿐이라네

다 내어주고 하는 게임

진심과 진심이 맞닿는 순간

땅고

땅고는 거짓말을 못 하네

남겨진 춤

큰 밀롱가를 크게 사랑하지 않는 이유

그것은 춤추지 않을 마땅한 이유 없이

춤추지 못하고 남겨진 춤들이 있기 때문입니다

나는 당신에게 남겨진 춤이 되었고

당신은 나에게 남겨진 춤이 되었습니다

쉼 없이 열다섯 딴다 이상의 춤을 추었지만

밀롱가를 나설 때, 그 만족감보다는

당신들을 두고 나오는 제 마음이 좀 슬펐습니다

아주 슬픈 것도 아닌 무덤덤한 슬픔, 쓸쓸함 같은 것이요

아주 작은 어떤 변수들에 의해 우리가 남겨진 커플이 되었는지 하는 그런 물음이요

작은 밀롱가에서라면 남김없이 다 추었을 당신들일 텐데

근데 과연 그러했을지 하는 작은 되물음도 함께요

그것이 탱고!

그대의 두 다리는 튼튼한가...굳건히 땅에 딛고 서 있는가...그대의 가슴은 부풀어 올랐는가...하늘로 솟구칠 듯 이상을 가득 품고 있는가...그대의 품은 부드러운가...어미의 품처럼 안온하고 편안한가...그럼에도 그대의 심장은 기차 바퀴 소리처럼 뛰고 있는가...그 심장들끼리 안고서 데일 듯 뜨거웠는가...그렇담 그것이 탱고!

온몸의 탱고

이제 알겠다. 탱고가 무엇인지, 왜 탱고를 3분간의 사랑이라고 하는지, 왜 탱고를 한 개의 심장, 네 개의 다리라고 하는지 그대로 인해서 이제야 알겠다. 내일이면 다시 잊혀질 수도 있겠지. 아 탱고가 도대체 무엇이었지, 어디서부터 다시 시작해야지. 그러나 오늘은 알겠다. 두레박 우물물을 등짝에 뒤집어 쓰듯이 요르단강 흐르는 물에 온몸 담그고 거듭나듯이 그렇게 탱고가 깨치듯이, 그대와 함께, 내게로 왔다. 시인 김수영은 말했다. 시는 무엇으로 쓰는가. 온몸으로 쓰는 것이라 했다. 온몸으로 밀고 나가야 한다고 했다. 탱고도 그러하다. 그대가 가르쳐 주었다. 온몸으로 밀고 나가라, 100% 그대를 끌어올려라, 100%의 에너지를 그에게서 끌어내어라, 너의 심장을 그에게 주어라, 꿰뚫듯이 너의 가슴을 그에게 밀어 넣어 심장을 하나로 만들어라, 뜨겁게 그를 사랑하라. 또한 그대는 말하였다. 탱고는 칼끝 위에 아슬아슬하게 서 있다는 것을. 칼끝 위에 선 것처럼 서로의 중심을 잡는 것 그것이 탱고라고. 뜨거움 속에서도 냉정하리만치의 고요함을 유지하여, 숨소리 하나라도 잡아내라고, 온몸을 집중하여 그의 작은 리드와 그의 작은 팔로잉을 섬세하게 감지하여 함께 나아가라고, 미풍에도 흔들리는 그의 마음을 읽어내어 어루만지라고. 그리하여 탱고는, 탱고 에너지는 뜨거움과 고요함의 용광로, 연애학이자 과학,

가슴만으로도 발만으로도가 아닌 온몸으로 쓰는 시학. 세례처럼 벼락처럼 홀연한 깨우침을 준 그대는 또한 홀연히 사라지고 있다. 용광로 채 식기 전에, 같이 뛰던 심장은 여전히 그곳에 있는 듯하건만, 3분간의 사랑이 지난 뒤에는 어찌해야 좋은지는 가르쳐 주지 않은 채.

탱고를 사랑하는 사람들 1

밖은 제법 쌀쌀한 날씨인데도 밀롱가에서 우린 쉬이 젖었지. 탱고 몇 곡을 추고 나면 곧 땀이 흐르곤 했지. 우린 부둥켜안고 춤을 추었어. 몸은 부드럽게 감싸 안았을 때라도 맘으로는 부둥켜안았지. 그렇게 추고 나면 힘이 다 풀어지는 느낌이어서 몇 곡은 쉬어야 하는 데도 우린 계속 춤을 추었지.

지친 몸에도 가는 발길 아쉬워 소줏집에 들르곤 하지. 거기서 또 탱고 얘기를 하는 거야. 날이 새도록 탱고 얘기를 한 적도 있지. 누구 춤은 어떻고 뒷담화도 심심치 않게 곁들이다 보면 시간은 매우 빨리 흘러 새벽을 맞이하게 되는 것이었는데, 그날 저녁 우린 또 밀롱가에서 만나곤 하는 것이었어.

어쩜 우린 외로운 사람들인지 몰라. 그래서 그리 밤과 새벽을 부둥켜안고 있는지도 모르지. 그런 전설들을 아는지, 열두 시간 걸려 차를 몰아 뉴욕 밀롱가에 가거나, 신칸센을 타고 오사카에서 동경 밀롱가를 가는 사람들, 비행기로 부에노스아이레스를 오가며 탱고를 배우는 사람들. 그 사람들도 그리 절실히 외로웠기 때문인지도 모르지. 그러나 그냥 애인을 찾거나 오락장을 가면 될 일을 그들은 왜 대륙을 가로질렀을까, 그 몇 시간의 춤을 위해서.

누구는 탱고의 맛이 불꽃처럼 일어나는 뜨거움이라고도 하고 무수히 지는 낙화의 아스라함이라고도 하지. 하늘의 별들이 일제히 켜질 듯 말 듯 닿을 듯 말 듯 한 목마름이라는 사람들도 있어. 엄마의 따뜻한 품을 찾아 떠나는 과거로의 여행이기도 하고 노년의 멋스러움을 꿈꾸며 떠나는 미래로의 여행이기도 하지. 어떻든 탱고는 새로운 단계마다 새로운 지평을 열어주어서 사람들은 탱고를 쉽게 정복할 수도 없고, 그만둘 수도 없어. 2부 능선의 아련함 뒤에 3부 능선의 끈적한 화려함이 있고 4부 능선에 참으로 장대하고도 그윽한 풍경들이 펼쳐지고 있으니, 또한 저 멀리 8부, 9부 능선에는 무엇이 펼쳐질지, 탱고가 참 사람 미치게 하는 거지.

우린 오늘도 탱고를 꿈꾸고 밀롱가를 꿈꾸지. 우리는 좀 이상하달 수 있어. 바닷가 파도 소리 맞춰 춤추고 바람을 껴안고도 춤추고 낙엽이 떨어지면 그 낙엽 즈려 밟으며 춤을 추지. 그래 우린 특별한 사람들이지. 우린 탱고를 사랑하는 사람들이고 우리가 춤추는 그곳이 곧 밀롱가이지. 우린 늘 탱고와 함께 하는 사람들이야.

탱고를 사랑하는 사람들 2

밖은 잃어버린 듯 만 듯, 올 듯 말 듯, 그냥 가버릴 듯 말 듯한 봄일지라도, 우리들의 밀롱가는 오롯한 봄날이었지. 얌전한 듯 뽐내는 진달래 빛깔을 잡아두려는 듯한 그녀의 핑크빛 드레스도 봄날이었고, 한 꺼풀 두 꺼풀 뚝뚝 떨어져 내리는 우윳빛 목련 담아낸 듯한 뭉뚝한 그녀의 드레스도 봄날이었시. 무릎 위 한침을 드러낸 그녀의 살 색은 농염한 봄날이었고, 눈을 감고서 음악의 클라이맥스를 찾아내려는 그녀의 갈구는, 클라이맥스에 닿을 듯 말 듯 안타까울지언정, 그 갈구만으로도 봄날이었지.

그이의 품은 더 따뜻하고 부드러워졌지. 싱숭생숭한 봄날의 기운도 그이의 마음을 뺏지는 못하는 건지 그이는 흔들리지 않는 나무와도 같았지. 허벅지 가득, 벅찬 사까다를 구사하는 그이도 좋았고, 산들바람에도 흔들리는 것처럼 내내 가볍게 떨고 있던 여성스러운 그이도 귀엽고 좋았지. 봄꽃이 여기저기 피어나는 것처럼 화사한 발스는 봄 밀롱가에 맞춤한 듯하여 더욱 좋았고, 밀롱가 음악이 고조되면 한 호흡과 한 스텝으로 가슴이 터져나갈 듯 솟구치다 음악이 딱 멈출 때면 꽃잎들이 우수수 같이 떨어져 내리는 듯했지.

우리들의 봄날은 거기 있었지. 봄날이라는 것은 핑계일지도 모르지. 눈이 내리는 날에도 우리는 춤을 추었고 낙엽 우수수 떨어지는 가을날엔 따뜻한 품과 따뜻한 음악을 찾아 밀롱가를 찾았으니까. 우리는 봄바람 난 바람둥이들이지. 하룻저녁 밀롱가 다섯 명, 여섯 명, 일곱 명과 가슴 뛰는 연애를 했던 기적 같은 날도 있었지. 가슴이 벅차 차마 한 딴다 이상을 추자 하지 못했던 이와, 부드럽고 부드러워서 열 딴다라도 출 수 있을 것 같던 이와, 그렇지만 모두 음악이 끝나면 고이 보내드려야 했었던 이들. 그러나 진정으로는 보낼 수 없어, 다시 내일이라도 밀롱가를 찾는, 우리는 좀, 이상한 사람들인가, 아마도 그럴거야. 이상한 사람이거나 탱고를 사랑하는 사람이거나 뭐라도 좋아.

그 여자, 독일 여자

런던에서 동북쪽 터프넬 파크

제로 아워Zero hour 밀롱가

뮌헨에서 왔다 하였다

오렌지 향기 짙어가는 여름밤

우린 그렇게 딱 한 번을 명치끝에서 만났다

수없는 시공의 동선을 돌고 돌아 그 한순간 딱

그러고는 쑤욱 멀어져 간다

우린 다시는 만나지 못할 것이다

걷기Caminada

걸으세요

그저 걸으세요

음악을 들으며 그저 걸으세요

절 포근히 안고서 그저 걸으세요

소나무 숲 사이를 걷듯 걸으세요

인적 드문 바닷가 파도 소릴 들으며 걸으세요

저물녘 어깨에 어둠 깃들 듯 그렇게

음악을 온몸으로 내려받아 제게 주세요

당신을 잊고 저를 잊고 그저 걸으세요

맨얼굴로 맨발로

능소화 봉숭아꽃 즈려밟듯 걸으세요

가을 잎 타들어 가듯 그렇게

천천히, 깊숙이, 걸으세요

첫눈 내리는 미지의 거리, 아무 두려움 없이

음악을 느끼고 절 느끼며 그저 걸으세요

빠우사Pausa

고요한 격동

네가 내게 잠깐 머무르는 시간

내가 네게 깊숙히 가라앉는 시간

한 번의 긴 호흡

심장민이 불규칙하게 뛰는 시간

먼 옛날 내 널 처음 보았을 때

그 가을 녘의 빛과 바람조차 정지되었던 순간

너를 보내야 했던 날 널 보낼 수 없어

까만 우주 같은 네 눈만을 바라보던 시간

침묵의 시간 영원 같은 순간

빗물조차 멈추어 아무것도 흐르지 않고

음악만이 너와 나 사이 흐르던 시간

널 보낼 수밖에 없다 보내야 한다

숨죽인 결단 앞에 팽팽하게 붙잡힌 시간

빠우사

잠깐 머물렀으나 깊숙이 배인 향기

다시금 긴 긴 기다림의 시간

슬픔조차 달콤하게 머금은 추억

무위의 열정

볼레오Boleo

넌

꽃으로 피어났었다

그 검붉은 꼬리가 가없는 선 그릴 때

볼레오 넌 매혹이었고

끊어내는 힘과 반동하는 힘이 네 미세한 혈관 드러내며

내 손끝과 팔뚝 어깻죽지까지 밀려들었을 때

볼레오 넌 펄떡거리는 육체였다 그 감각이었다

볼레오 넌 여자였다

내가 너를 사랑함은 여자를 사랑하기 때문이고

내가 여자를 사랑함은 볼레오 너를 사랑하기 때문이었다

볼레오 넌 꽃이었다

섬광처럼 솟구쳤다 강물 위에 내리는 불꽃이었다

내 팔뚝 어디쯤에 여진이 오래 깃들어 꿈속에서도

그 향기 떨치고 있는 흑장미였다

끄루세Cruce

벌리어 놓은 만큼 가까워지려 한다

가슴 사이의 거리만큼

두발을 포개어서 좁힌다

포개어진 발목은

겹꽃잎 위에 달빛 비추이듯 하고

우리는 다시 완전히 가까워졌다

꽃잎 위에 꽃잎

꽃잎 위에 꽃잎을 겹쳐 놓는다

그 겹꽃잎 위에

또 꽃잎들은 흩날린다

제3부

10분의 사랑

10분의 사랑 1

탐색하고

함께 여행하고

이별하고 재회의 약속까지

3곡 혹은 4곡의 노래

우리는 이 시간을

10분의 사랑이라 부른다

이 시간이면 충분하다

....

오늘 그녀와 참 예쁜 그녀와

마지막 딴다를 추었다

10분의 시간을 쾅 – 못박아 버렸다

나의 연애는 그렇게 완성되었다

10분의 사랑 2

당신과 함께한 딴다들

그 10분의 시간들은

엘땅고 벽 위에 걸려있고

아따니체 벽 위에도 걸려있어요

오니디에도 걸려있고

또도에도 라임에도 걸려있어요

라벤따나에도 솔땅 연습실에도 걸려있어요

그런데 다 필요 없어요

그 밀롱가 벽들 위에 그 많은 액자들은

단 한 곳 바로 여기

(손으로 가슴을 가리키며)

이 한 곳에 다 모여 있으니까요

10분의 사랑 3

당신은 미소를 터뜨렸고
나는 쟁여서 가슴에 품는다
라벤따나 그 가득한 창들로부터
봄바람이 밀려 들어왔고
그렇게 허락된 10분 동안
우리는 지독히도 음악들을 사랑했지만
누가 먼저랄 것도 없이 곧잘 그 음악으로부터 이탈했다
우리는 규칙을 존중했지만, 제멋대로의 정신은 더욱 떠받들었다
봄바람이 우리를 헤집어놓은 탓이다
실은 이게 바로 다리엔소가, 뜨로일로가, 까나로가 의도한 바였는지 모르겠다
당신들은 파안미소를 터뜨렸고
내 안에는 그만큼의 새 방들이 생겨났다

꼬라손Corazon

어느 순간 고요해졌죠
함께 음악에 태워져 있구나 하는 순간
가슴 데워지고 또한 평화로워졌죠
들뜬 평정 상태 혹은
고요한 흥분상태
이걸 꼬라손이라 불러도 될까요

처음이었지요 당신과는
일순 주변과 차단된 듯한 둘만의 공간
연분홍 맑은 빛깔 움터오며 번져간 것은
나는 그 빛깔에 단단히 묶인 듯했는데
당신은 어땠나요
검붉은 장미 색깔은 아니어도
그걸 꼬라손이라 불러도 될까요

어느 날 꼬라손

한 딴다가 완벽하였다면

그 밀롱가는 완벽해진 것이다

그 한 번이면 충분하다

땅게라의 노래 1

오수午睡

내 꿈은

밀롱가 바닥 위를 거닐어요

디살리의 음악이 흘러요

늦은 오후 지나

저녁도 그렇게

천천히 밀려서 오면

여자는 고개 들어 남자를 보고 있어요

난 참지 못하고 달려가요

세상은 온통 깜깜하고 초승달만 고요한데

그대는 아득히 저편에 섰고

난 앓는 듯, 헤매듯 찾아가고 있어요

여자는 뒤로 묶은 머리 다발 찰랑거리며

남자의 초대에 응답하고

난 그대에 닿자마자 흩어지고 있어요

바닥 밑으로 천장 속으로 공기 속으로 그대 가슴 속으로

가라앉고, 사라지고, 흡수되고, 쓰러지고 있어요

앓는 듯 헤매듯 몽유하듯 거닐다

그렇게 다 소진되고 나면

그대 나, 일으켜 세워주고

난 그대에게 묻지요

"내 꿈꾸듯 여행 다녀왔으나

그대 여행은 어떠하였는지요

내 마지막까지 다 비우고 다시 채워졌으나

늘 굳건하고 정중한 당신

당신도 그리 취하였는지요"

땅게라의 노래 2

늘 옅은 미소만 머금는 당신
당신은 어떠셨나요

나는 아주 먼 길을 다녀온 듯한데
뜨거운 곳 지나온 듯한데
빵-하고 솟구치는 지점도 몇 개 거쳐온 듯한데
비아지 음악 온통 가득하고
당신과 나 이렇게만 존재하는 세상이었는데

늘 굳건하고 정중한 당신
당신은 어떠하셨나요

그녀에게서 멜론 냄새가 났다

첫 아브라소

그녀에게서 멜론 냄새가 났다

몇 번의 걸음 그녀의 가슴이 이내 따뜻해져 온다

오초에 이은 메디오 히로

초록의 치마 끝에 밀롱가의 공기가 떨리듯 흔들리고

나는 그 떨림을 숨기려는 듯 서둘러 발걸음을 내딛는다

음악은 클라이맥스로 향하고 난 감히 오른쪽 사까다를 시도한다

그녀가 엔간체로 응답해왔다

불꽃 같은 순간

난 흐트러진 호흡을 가다듬으려 빠라다를 한다

잠시 멈추어진 시간

쿵쿵쿵 음악은 다시 클라이맥스로 향해가고

네 박자 빠른 히로와 더블 볼레오가 마지막을 잇는다

그리고 눈을 감으며 엔딩...

(그녀가 눈을 감았는지는 모른다)

그리고 그렇게 우린 3초간을 더 머물렀다

탱고 벗에게

우리 헤어지지 말자
딱 이대로만 춤추자
이대로만 가까이서
이대로만 떨어져서

넌 식을 줄 모르는 활화산
난 아슬아슬 넘지 않는 물 주전자
둘이 만나 고요하게 끓는
산정 위의 호수가 되자

데일 수 있으니 너무 가까이는 말게
서로 놓치지 않도록 투명한 실타래 연결해 놓고
딱 이대로만 오래도록 춤추자

넌 쓰러지고 넘어져도 다시 일어나는 바람
난 폭풍에도 굳건한 한 아름의 나무
그러나 내 잎들과 가지들은 한점 바람에도 아프게 떨리노니
둘이 만나 파르르 울리는 노래가 되자

매일 춤출 수 없어도 두어 달에 한 번을 만나도

너무 그리워는 말자

이만큼만 친밀하게 이만큼만 수줍어하며

딱 이대로만 평생 춤추자

우리 헤어지지 말자

탱고가 있어 다행이다

탱고가 있어 다행이다

탱고 안에서는 너를

맘껏 안을 수가 있어서

탱고 안에서는 너를

맘껏 사랑할 수 있어서

탱고 안에서 너와 함께 걸으면

남산 소월길 함께 걷는 것만 같아서

담양 메타세쿼이아 숲길 함께 걷는 것만 같아서

탱고가 있어 다행이다

시작하려는 연인들과 헤어지려는 연인들

벗과 연인 사이에 선 이들의 때론 애달프고

때론 소모적인 논쟁 피할 수 있어서

탱고 안에서 너를 안으면 연인

탱고 밖에서는 벗

탱고 안에서 명치 끝을 붙이고 같이 호흡하면

우린 그 누구도 부럽지 않은 불멸의 연인

탱고 밖에서는 가끔씩 뒤풀이 같이하는 친구

탱고가 있어 참 다행이다

탱고 안에서 함께 걸으면

어느새 세느강변 같이 와 있는 것 같아서

부에노스아이레스 먹자골목 와 있는 것 같아서

데이트도 필요 없고

사랑싸움 필요 없고

탱고 안에서 함께 걸으며 나아가고자 하는 목표가

그저 춤추며 탱고의 5부 능선, 8부 능선 함께 넘자는 것이어서

새로운 경지 열기 위해 조금씩 조금씩만 밀어주고 당겨주자는 것이어서

그저 탱고가 좋아 탱고 안에서 사랑하자는 것이어서

웬만하면 헤어지지 않을 수 있어서

일주일에 한 달에 한 번씩만이라도 오래도록 춤출 수 있어서

그래서 참 다행이다

탱고가 있어서 다행이다

눈을 감고

당신이 이끄는 길을 따라
눈을 감고 갑니다
눈을 감아도 길은 훤합니다
아니요 눈을 감았기 때문에
당신과 나의 길만이 훤하게 열립니다
내가 당신을 따라서 가면
당신도 나를 따라옵니다

우리들의 화양연화

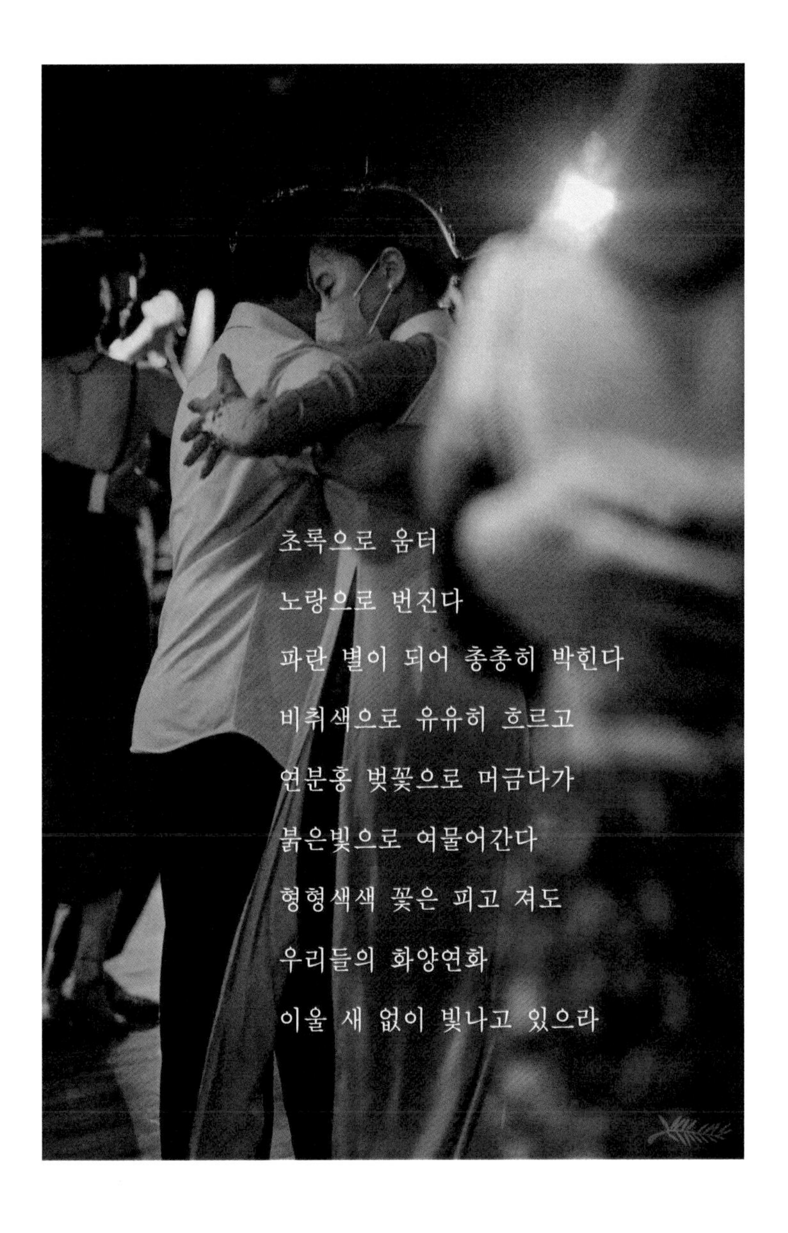
초록으로 움터
노랑으로 번진다
파란 별이 되어 총총히 박힌다
비취색으로 유유히 흐르고
연분홍 벚꽃으로 머금다가
붉은빛으로 여물어간다
형형색색 꽃은 피고 져도
우리들의 화양연화
이울 새 없이 빛나고 있으라

오나다 오나다다

오나다가 성지라 하는 것은
그 오랜 시간 때문만은 아니리
자유로운 영혼들이 여기 머물기 때문
그 영혼들이 머무르며 흘린 땀방울과 핏자국이
바닥 깊숙이 스며들었기 때문
오 여기는 오나다다
열정이 있는 땅게라와
강하고도 담담한 땅게로가 머무는 곳
질투가 살아 숨 쉬고 동시에 질투가 발을 딛지 못하는 곳
(땅고를 하지 않는 자 이해 못 하리라)
오늘은 모든 까베가 실패하여도 순순히 죽을 수 있다
그대 춤을 지켜보는 것은 가슴 저미도록 아름답다
오 여기는 오나다 오나다다

로열의 여인이여

로열의 여인이여
오늘은 그 자리에 계신지 묻습니다

세 번을 가면 한번 당신을 만납니다
그 세 번째 날이 서로 비껴가는 즈음에는
한 계절만큼의 시간이 뭉툭 지나가기도 했습니다
그러다가도 당신은 문득 나타나기도 했습니다

그날들처럼 오늘도
순한 얼굴 미소 더욱 번져갔기를 바랍니다
인사이드 오초 아델란떼 그 부드러운 궤적의 순간
둥근 볼 주변에 툭툭 터져나가던 그 수줍음이
제 볼에도 전해오곤 했습니다
그때 확 번지어갔던 향기는 며칠이라도 갈 듯했습니다

여인이여 저는 오늘 그 자리 찾지 못했지만
잔향이라도 머물렀기를 바랍니다 그렇게
당신과의 만남을 이어갑니다
세 번을 가면 한번은 당신과 만납니다

어느 날, 아따니체

그 모두를 사랑할 것만 같다는 것이 나는 슬펐다

그 마약과도 같이 몽환적인 탱고의 음악들

진한 향수와도 같아 쫙 퍼져나가며

저녁 어스름 녘부터 깊어가는 여름밤까지

구석구석 스미고 어루만지고 때로는 할퀴었던

디살리 뜨로일로 도나또 혹은 까나로들

커튼 사이로 비치는 도시의 불빛

천장 위에서 돌아가는 팬과 끈적이는 땀과

이마에 들러붙어 있는 머리카락들 그것들 때문에

그대들 모두를 사랑할 것만 같다는 것이 나는 슬펐다

모두를 사랑하는 건 아무도 사랑하지 않는 것

모두를 사랑하기 위해선 아무도 사랑하지 않는 것

마지막 딴다를 뒤에 남기고 질주하는 한강 변

잠자리에 들어서도 뒤척이며 쉬이 잊히지도 사랑할 수도 없는

그대들 모두를 사랑할 것만 같다는 것이 나는 슬펐다

일요일, 아따니체

일요일 아침부터 저녁이 기다려지는 것은 이상한 일이지요

그것은 당신이 거기 계실 거란 기대-

때문만은 아니어요...

일요일 오전 베란다 창으로 비켜 드는 햇살만큼 휴일이 저무는 저녁을 더 사랑할 수 있을까요

그래도 저녁을 기다리는 것은 거기 당신을 볼 수 있으리란 설렘-

때문만은 아닐 거예요

일요일 저녁, 아따니체

저물어가는 휴일이 다시 살포시 기지개를 켜는

거기 당신이 가져온 사과와 쿠키가 가지런히 놓여있고

작은 생일빵이 있고

아침 녘의 새소리와 오후의 햇살이 섞여 있는

뜨로일로-마리노 딴따가 나오는

그 저녁 때문에

지금 오전 11시는

더 완전해집니다

당신은 어떠신가요

탱고인서울을 보내며

지는 꽃이 아름답다
누가 그랬는지
탱고인서울이 서서히 꽃잎 지며
향기 떨구고 있다
그 향기 보듬으려는 듯
때 늦은 춘설春雪 내리고
우리 마음은 촉촉이 젖고 있다

다정한 사람 보낼 때
그 눈망울 내 눈망울에 영원히 담으려
하염없이 쓰다듬었는데
그 손의 기억 내 손안에 새기려
그 손톱 매만지고 매만지고 하였는데
오늘 우리는
탱고인서울 구석구석
쓰다듬고 매만지고 있다
아스라한 네온 불빛과 그 불빛에 퍼덕이는 나비
마음에 아로새기고 있다

어디서 그 웅장한 음악 소리 들을 수 있으리
심장을 관통하는 음악 소리를
그 음악 소리를 밟고 간 수많은 발자국을
눈비 내리는 풍경 그대로 전해주던 문들과
함께 탱고 허기를 채우던 소박한 대화들 잊을 수 있으리

소멸하는 것들은 아름답다
누가 그랬는가
地上 유일 밀롱가가 소멸하며 발하는
그 붉은 노을에 우리 마음 젖고 있다
마음 젖어서 춤을 추다
어느덧 그 춤에 취해
내일이면 영영 떠나갈 줄도 잊고서
다정한 이 품속 춤만 추고 있었다

순천 에스뜨레쟈스Estrellas

벌써 1년

순천 에스뜨레쟈스

그 춤은 아직 꺼지지 않는다

저녁의 시간과

밤의 시간을 지나는 동안

별들은 초롱 빛났으며

새벽까지 거침없이 어울려 흘렀다

그 군무 속에 있다는 것이 나는 신기했다

그와 세 번째 딴다를 출 그때는

별들이 잠들 무렵이었다

내 안의 별도 이울었다

그리곤 다시 새록 돋아났다

움터오는 여명 가운데 나라는 별은

그라는 별과 자유롭게 부유했다

몸이 릴렉스되면서 의식은 더욱 명료해졌고

몽환의 경계를 넘나들수록 동작은 명쾌하게 흘렀던
그것은 최초의 춤이었다

나의 춤은 순천 이전과 이후로 나뉘었다
다시금 꿈꿔야 할 때이다
다시 한번 더 순천 이전과 순천 이후를

참 이상한 밤

그날은

좀 이상한 밤이었다

필라땅고 파티가 열리던 밤

밀롱가로 향하던 거리 하늘 올려다보며

눈 올지도 모르겠다 생각한 순간

거짓말처럼 한 점 두 점 눈이 내리기 시작했다

그녀는 2년 전 왔을 때도 눈이 왔다 하였다

밀롱가는 점점 뜨거워지는데 밖에는 서늘히 눈이 내리고

나는 한 번씩 밖에 나가 눈이 여전히 내리는지 확인하고서야

편안히 춤을 출 수 있었다

그녀에게도 눈 오는 걸 같이 구경하자 하고 싶었으나

그녀는 흠뻑 젖은 채 쉼 없이 춤을 추고 있었고

나도 여러 춤꾼들과 춤을 추는 것이 좋았다

페닌슐라-우주소녀 커플이 보여준 춤은

눈앞이 어질어질 아찔하리만큼 아름다운 춤이었는데

밖에 눈 내리는 풍경과

공연을 같이 지켜본 그녀의 검은 눈동자가 오버랩되며

가슴이 싱숭생숭 신묘한 느낌을 불러일으키는 것이었다

차라리 감기가 조금씩 걸려있는 것이 좋았다

파티가 모두 끝난 뒤에도 눈이 계속 내리고 있었는데

우린 미열微熱 속에서 모든 이 비현실적인 것이 좋았다

뒤풀이 주점에 가서도 우린 비현실이 되었다

탁자를 밀쳐내고 그녀와 내가 춤추고 있다는 것 자체가

내겐 참 비현실적으로 느껴지고 있었다

며칠 지났을 뿐인데도 그 밤은

참으로 이상야릇하고 아득하게만 느껴지는 것이다

더운 밤

사람의 몸이 더웁다는 것을 확인하는 밤

여자의 몸이 더웁다는 것을 확인하는 밤

그 더운 몸이 좋다는 것을 알게 되는 밤

그 몸 때문에 내 몸도 더 더워진다는 걸 알게 되는 밤

그 몸들이 여럿이며 껴안는 몸들이 여럿이면

밀롱가의 열기는 천정까지 치솟고

꼬르띠나 때 에어컨 선풍기 앞에서 몸을 식혀보지만

다시금 송골송골 맺혀오는 땀방울이 두렵지 않은 밤

디살리의 그녀도, 비아지의 그녀도, 딴뚜리의 그녀도 다

더웁다 더웁다 더웁다 다 황홀하다

감사하는 밤

어느 겨울밤의 탱고

너와 춤추고 돌아온 날 아침에

눈이 내린다

이마엔 땀이 송골송골 맺히고

어느샌가 귀밑머리 뚝 떨어질 만큼

흠뻑 젖어 든 그 밤 지나고

눈이 내린다

마지막, 마지막이 아닐 텐데도

부서질 듯 부여안고 깻잎 머리 짓이기며

한 번 더, 한 번 더 춤추자던

그 짧은 밤 보내고 돌아와 눈 뜬 아침

폴폴폴 눈은 내리고

밖에 나서 손 모아 눈 뭉치니

찌릿하게 온몸 퍼지는 싸늘한 기쁨이여

폴폴폴 눈은 계속 내리고 바람도 없이

이대로 내내 내릴 것 같고

난 네게 문자 한 줄 보내고 다시 잠들어야겠다

비로드결 밤을 지나 하얀 눈 내린다

그것이 우리의 탱고였지

지금 생각해보면

그것이 우리의 탱고였지

잰걸음으로 걷던 네가 내 느릿한 걸음에 맞춰

천천히 천천히 발걸음을 옮기고 있었지

그러다 이내 너의 잰걸음으로 돌아가고 말면

이젠 내가 너의 발걸음 맞춰 걸음을 재촉하고 있었지

그때도 음악은 흘렀지

너무 아픈 사랑은 사랑이 아니었음을

그렇게 아픈 노래를 우린 힘껏 쾌활하게 불렀지

내가 당신을 얼마나 사랑하는지 당신은 알지 못합니다

가슴 저린 고백들도 너무 쉽게 읊조렸었지

발맞추어 걷다가 틀리면 웃다가 노래 부르고 그랬지

지금 생각해보면

그것이 우리의 탱고였지

사랑한단 말은 못 해도 안녕이란 말은 해야지

그 슬픈 노래가 슬픈 건 지 어떤 건 지 그땐 모른 채

대학로 인사동 종로2가 제기동 걷고 또 걸었지

그땐 정녕 몰랐었을지라도

그것이 우리의 탱고였지

오랫동안 울울히 진동 울리는

봄바람을 껴안고 한 스텝 두 스텝

오늘 인사동 거리를 네가 휘익 하고 지나갈 것만 같아서

십수 년 전 어느 날 네가 팔을 활짝 벌려 나를 맞이하듯

오늘 문득 네가 내 앞에 나타날 것만 같아서

칠흑 같은 밤은 어울리지도 않는 서울의 거리

밤 10시가 지나서도 휘영청 밝은 봄밤

네가 산들바람처럼 불현듯 나타날 것만 같아서

서울 하늘 아래 이태원 압구정 강남역 홍대 앞 합정역

구름처럼 이리저리 떠다니며 탱고를 배우듯

엘에이 하늘 아래 어디쯤 너도 배우고 있을 것만 같아서

겉으로는 범생이 소심한 좌파 안으로는 스타일리스트

나처럼 그렇게 너도 착하디착한 순진파

안으로는 어찌할 수 없는 자유주의자

그렇지만 감히 내가 탱고를 배우고 있으리라 생각지 못할

너를 놀래키고 싶어서

오늘 문득 인사동 골목, 종로 2가, 대학로, 명동거리에서 너를 부닥친다 한들

수년 뒤, 십수 년 뒤 너를 라스베이거스 골목, 뉴욕 브루클린 바에서 만난다 한들

무슨 말을 할 수 있을까 말 대신 가만히 다가가 춤 한 곡 신청하고 싶어서

너 설령 춤 못 춘다 해도 가만히 껴안고 싶어서

네 눈을 과연 얼마만큼 쳐다볼 수 있으리 45도 각도로 네 옆모습 바라보면서

우리 세월 건너뛰고 싶어서

푸근한 네 눈가의 잔주름과 아직은 촉촉하고 보드라운 손바닥 느껴보고 싶어서

그럴 것만 같아서 그러고만 싶어서

밤 10시가 넘은 인사동 골목길 모임 하다 잠깐 나와

봄바람을 껴안고 한 스텝 두 스텝 걸어보는 것은

내 몸은 형상 기억 장치

내 몸은 형상 기억 장치

당신을 쉬이 잊지 못합니다

오늘 당신이 잘 찾지 않는 밀롱가를 찾아

다른 이와 안고 춤을 추는데

그 무서운 차이를 감지하고 말았습니다

이러지 말아야 하는데, 나는 당신을 잊으려 하나

내 몸은 당신 몸을 기억하여

쉬이 놓아주지 않습니다

무슨 형상 기억 장치처럼

그 가슴의 굴곡과 밀착의 정도까지도

내 가슴은 기억하고 있어서

닮은 것을 찾아내고 다른 것을 가려내니

참 미치겠어요

나는 당신을 보내려 보내려 하여도

내 몸은 당신 몸을 잊지 못하고

쉬이 놓아주지 못합니다

아마도 세월이

세월이 필요하겠지요

충돌사고

네가 내게 부딪혀왔었을 때

나는 아무런 방비도 되어 있지 못했었다

차창 유리는 산산이 부서지고 뒤섞이어서

주워 담을 수도 없이 망연히 서 있을 뿐이었다

디살리가 흘러나오고 있었고

아마도 우리는 세 번째쯤의 조우를 하고 있었다

바이올린 소리에 그대 손이 내 목덜미 너머 깊숙이 내려왔고

끓어오르는 반도네온 소리에 내 가슴이 쿵쾅거렸다

두 원자가 가속기 안에서 마주 보고 달리다 정면충돌하여

그 입자들이 산산이 흩어지고 뒤섞여버리고 만 것처럼

어느새 내 가슴이 뚫려 버린 듯했다

그대 안으로 내가 들어가 버린 듯했다

이국 먼 길 베네수엘라 앙헬 폭포

내 가슴의 격류가 수십 길 낭떠러지를 만나 수직 낙하하며

물보라를 만들고 있었다 거기에 무지개가 서리고 있었다

어찌할 것인가 어찌할 것인가

아무 일도 없었던 듯이 디살리가 끝나가고 있었다

아마도 그것이 우리의 세 번째 쯤인가의 조우였다

It takes two to tango

탱고를 추는 데는 두 사람이 필요하다

탱고를 추는 데는 두 사람의 협력이 필요하다

탱고를 추는 데는 서로에게 향하는 열정이 필요하다

탱고를 추는 데는 때로 서로로부터의 이완이 필요하다

그런 때라도 결코 끊어지지 않는 결속이 필요하다

그리하여 탱고는 그 결속의 메타포이고

결속의 형식으로서 아름다움의 궤적이다

제4부

이리도 아름다운 음악

17살 때나 지금이나

17살 때나 지금이나
빗속을 걷는 것이 좋았다
억수같이 내리는 비가 아니면야
오히려 한적해지는 거리여서
무언가 생각해 집중할 수 있어서
빗속을 걷는 것이 좋았다
음악을 듣거나 중얼거리는 것도
17살 때나 그 세 곱절이 다 되어가는 지금이나
변한 것이 별로 없다

그때는 비틀즈였다
선배가 빌려준 그 테이프를
닳고 닳도록 듣고 또 들었다
지금 빗속을 걸으며 듣는 것은
그때 그 비틀즈의 충격만큼이나
서서히 충격의 강도를 더해온 탱고 음악들
세상에 이리도 아름다운 음악이 있는가

디살리 까나로 딴뚜리 프레세도 도나또

듣는 음악이 변하였으니 많이 변했다 할 것이나

실은 변한 것이 별로 없다

앞으로 17살의 두 곱절 세 곱절이 다시 지나더라도

별로 변하는 것이 없었으면 좋겠다

작은 우산 받쳐 들고 씩씩한 두다리로

음악 들으며 빗속을 걸을 수 있다면

이리도 아름다운 음악 - 그녀들의 뮤직컬리티

언제든 디살리였다

한 번의 스텝도 어긋남 없이

그녀와

네 곡을 한 곡처럼 연주할 수 있음은

다리엔소! 외치며

단박 까베세오

다리엔소 없는 밀롱가는 밀롱가가 아니지

그녀의 더블 타임이 플로어를 가른다

소프트 비아지

그게 쉬우랴마는, 부둥켜안고

그 리듬에 몸을 맡기기만 하면 되었다

그녀 역시도 몸을 맡겨 왔으므로

봄이었으므로 뜨로일로
여름이었기 때문에 뜨로일로
가을이어도 뜨로일로
그녀와도 한 계절에만 춤을 추는 것은 아니었다

그녀는 뿌글리에세를 좋아했다
드라마띠꼬 - 그것은 동작이 아닌 마음의 상태
동작을 멈추고 숨을 끌어올리자
내게도 뿌글리에세가 들려왔다

가장 가녀린 바이올린 소리에 실려
가장 큰 심장 박동 소리 들려왔다
극강의 아브라소
다고스띠노

또르르르 피아노 굴러가는 소리
그녀 발끝에서도 구슬 굴러가는 소리 들린다
때론 깔로의 엔딩 장면은
춤의 완성을 결정짓는 2초

인비에르노Invierno

뽀에마Poema

이 순박한 로망을 그녀도 닮았는가

까나로 딴다에 만나는 눈망울이여

결정적 순간 설정석 파트너와 추고 싶은

그녀가 뽑은 곡은 단 하나의 곡

엔리께 로드리게스

단사 말리그나Danza Maligna

딴뚜리를 듣는다, 가을 오후 내내

각각의 시린 듯한 하늘 아래서

딴뚜리를 춘다, 한 계절 두 계절을 지나

푸르게 깊어가는 밀롱가에서

도블레띠엠뽀doble tiempo 네 걸음으로

나의 어수룩한 몸짓들이
이 아름다운 음악들로 상쇄되기를

나의 실수들을 그가 눈치챌지언정
음악의 흐름 가운데 묻혀가기를

나의 도블레띠엠뽀doble tiempo 네 걸음으로
오늘 묵혀둔 근심 다 사라지도록

우린 순간을 살고
그 순간에 최선을 다하였소

그대 또 언제 만나오

오늘은 뜨로일로Troilo

오늘은 뜨로일로

청년들의 두근거림

부에노스아이레스의 좁은 골목 좁은 다락방

반도네온이 격발시키고 바이올린이 재촉하는

그 불규칙한 발걸음에 신기神氣가 들었다 할 수밖에

그 노래들에 우리도 신기 들린 듯이 춤을 추었다는 것

서울의 좁은 거리 어둑한 그 거리를 이리저리 온통 누비며

두두두둑- 두두두둑-

그 울퉁불퉁한 리듬 하나하나를 다 잡아채고 있었다는 것

첫 곡은 밀롱게안도Milongeando 마지막 곡은 띤따 로하Tinta Roja

겨울이어도 가을이어도 늘 봄인 청년들의 행진

그 거침없이 부드러운 진격이 딱 멈추는 엔딩의 순간

한 움큼의 바람이 불어왔다

2016년 12월 땅게리아 뜨로일로 그녀 그리고 봄바람

땅고 뜨란낄로Tango Tranquillo

고요하게 춤추라

루피노Rufino의 격정에도

뿌글리에세의 드라마에도

밑바닥은 고요함이니

그 고요함에 귀 기울여 춤추라

세상은 급한 법이 없다

심장 소리 툭툭 튀어져 나오는 때에도

서두를 일 무에 있으리

아까울세라 한 발자욱 한 발자욱 더듬어 갈 일이니

더욱 고요하게 춤추라

뿌이모스Fuimos

*뜨로일로 악단의 곡 - 가수는 마리노Marino

노래는 춤을 떠나려는 것이 아니었다

리듬은 멜로디를 보내려는 것이 아니었다

그것이 우리들의 사랑법

뿌이모스

너무 멀리 달아나진 마시오

스텝이 길을 잃어서는 안 되니

빠롤Farol

*뜨로일로/뿌글리에세 악단의 곡-가수는 피오렌띠노Fiorentino/샤넬Chanel

그대가 나를 이끄는 것은

그리 밝은 빛은 아니라오

골목길에 비추던 작고 둥근 불빛들을 따라

그대가 걸었음 직한 그 발자취대로 내 발걸음을 이끌었소

퉁퉁퉁 바이올린과 콘트라베이스

그 한 걸음 한 걸음은 내 젊음만큼이나 가벼웠고

작은 바람이 불었던 듯도 하오

그 후로 아주 오랫동안 그 노르스름한 정경이

내 안에 깊게 머물 거라는 걸

그때도 예감으로는 알았을까요

딴뚜리Tanturi를 듣는다, 딴뚜리를 춘다 1

딴뚜리의 실마리를 잡은 밤
순백의 숲속 자작나무 잎 일렁이고
숲길을 저벅저벅 걷는 발걸음이 가벼웠다
강변북로를 달리는 소음 속에서도
그 명징한 소리가 들렸다
어제는 겨울이었고
오늘은 여름이 길게 늘어지는 9월 하순 어느 날이었다
어느 때라도 어느 곳이라도 좋았다
리꾸에르도 말레보Recuerdo Malevo
그 추억이 무엇이라 한들
그 남자가 그것을 잡아내고 그것에로 나아가는 방식은
들뜨지 않되
노래하는 것
라 비다 에스 꼬르따La Vida es Corta
삶은 짧으니
때로는 음유하듯 때로는 화려한 다성화음으로

이것이 실마리 하나.

띵 –

딴뚜리를 듣는다, 딴뚜리를 춘다 2

까스띠쇼보다 깜뽀스가 좋다는 그녀
그래 그럴 만 하지

음유가인이라면 단연 까스띠쇼인데
마치 천상의 새 한 마리가 온 하늘을 향해 노래하는 것이라면
깜뽀스는 지친 내 몸 곁으로 다가와 나만을 위한 노래 부르는 듯하다고 했지
그때 눈가는 그렁그렁했을지언정 울어버릴 수는 없었고
세상이 꽉 차오는 듯했다고 하였지

그래 레시엔Recien이나 우나에모시온Una Emoción을 들어보자구
저벅저벅 숲속을 향해 걷는 사내의 발걸음이 들리지 않냐구
그녀만을 향해서 노래 부르지만 세상에 다 울려 퍼지는 그 노래가

딴뚜리가 좋다
(까스띠쇼도 깜뽀스도)
딴뚜리가 좋다는
그녀가 좋다
지금 함께 마지막 음을 기다린다

띵 –

다고스띠노D'Agostino, 그 이후 1

그날 다고스띠노
그 이후로
내 춤은 달라졌다

심장 소리를 듣게 된 것이다
이전에도 심장 소리 들리지 않은 바 아니었으나
그리 큰 소리로 들릴 수 있음을 알게 된 후부터
탱고는 불규칙하게 툭툭거리는
심장 소리를 닮은 리듬 자체라는 것을 알게 된
그날 이후부터

1년 8개월이 지나 이 일화를 전하자
그녀가 고백해 온다
“몸은, 심장은 거짓말을 못 하는군요”

다고스띠노, 그 이후 2

그날 다고스띠노
그 이후로
내 춤은 달라졌다

심장 소리를 듣게 된 것이다
분명히 명치끝으로부터 시작해 두두둑 두두둑 울려오는 소리를
피아노 바이올린 또한 바르가스의 목소리와 함께 섞여서
늑골을 타고 올라오는 소리를

그로 인해 그녀는 악기이자
스스로 연주자
나도 그로 인해 그 악기를 켜는 연주자
나 스스로도 천둥소리처럼 커져가는 악기

그날 이후로
나는 달라졌다
심장 소리를 듣고
심장 소리가 된다

누에베 뿐또스Nueve(9) puntos

*디살리 악단의 곡

사위가 온통 고요해지는 이 느낌은 뭐지
곡의 시작만으로
주변의 사람들도 웅성거림도 사라지게 했던
하이피치의 바이올린 소리
전환부에서 중산 높이로 전개되었다 다시 고조되는 대목들
몸은 뜨거워지는데 머리는 새하얘지는 느낌은

가사도 없이 제목만 누에베 뿐또스
이 곡의 비밀스러운 이야기를 짐작밖에는 할 수가 없다
옛 부에노스아이레스에 전차가 있었는데
전차의 최고 속도가 누에베 뿐또스
7, 8, 9 속도로 계속 피치를 올려갔던 전차 속 사랑 이야기
어쩌면 10의 속도를 돌파하다가 파국을 맞이한 사랑 이야기

3분 27초
우린 화들짝 인사를 나눈다
다른 시공을 여행하고 왔는데도
여긴 별일이 일어나진 않는구나

까나로Canaro

까나로란 숲을 거닐다 보면
우리 마음이 다 순박해진다

이 사랑은 요란하지 않다
이 춤은 화려하지 않다
함께 거니는 것만으로 다 되었다

또도 꼬라손Todo Corazon

*까나로 악단의 곡

까나로

또도 꼬라손

내 남자가...

낯선 이와 춤을 춘다

(둘은 잘 아는 사이일 수도)

내 남자는 눈을 감으며

그녀의 발걸음 밑으로 바이올린 선율을 깔고

그 위로 포개어 더 높은 바이올린 선율을 깔아준다

그녀 발길 내딛는 자리마다

비단 옷자락을 내어준다

그들은 희미한 웃음조차 짓지 않는다

그녀가 슬퍼하지 않도록 그는 자기 가슴을 더 내어 끌어안는다

또도 꼬라손

왜 이리도 아름다운 음악인가

내 입가에 미소가 번진다 눈가엔

살짝 눈물이 고이는 듯도 하였다

이제는 다 지켜볼 수 있을 듯도 하였다

…………

내 남자가 돌아와 내 옆에 서 있다

다음은 또 누구인가

프레세도Fresedo y 라이Ray

북촌 어귀어귀 골목길

감아 도는 바람이구나

울퉁불퉁 바위틈들 사이로

졸졸 흘러가는 냇물이구나

나 어떻게 우는지 모릅니다*

좋은 님 떠나보내고

속울음 우는 남자이구나

꺼이꺼이 울지 못하고 바람만

온통 맞이하고 있던 남자이구나

돌담 위로 나무 위로 길 위로

세월 겹겹이 쌓이고

햇살도 겹겹이 쌓이는 봄날

옛사랑 품고 나들이 나선 여인이구나

골목길 그대로이고

뜨거운 밥 나누던 밥집 그대로이다

추억은 달콤한 비통**인가

그 노래에 실려 오면 달콤함이리
가늘게 떨며 삼켜내는 라이라면
괜찮다 괜찮다 하는 프레세도라면

* Yo no se llorar 프레세도&라이의 노래 제목
** Dulce amargura

비아지Biagi 어느 대목에서

비아지 어느 대목에서

저음으로 파르르 울리는 반도네온

허공에서 파르르 울리는 발끝

이런 아도르노가 가능할지는 몰랐다

연쇄 파동

삼각 사각 오각의 동조

네 입가에 파르르 미소 떠올랐는가

마음으로는 울었는가

뿌글리에세Pugliese – 샤넬Chanel

뿌글리에세의 음장감이 공간을 가득 채우는데

샤넬이 던지는 그 그리움의 말들이라니요

그대 한 걸음 한 걸음에 그걸 다 담아내다니요

짱짱하게 내딛는 소리도

긴 호흡으르 내뿜는 오랜 기다림도

깔로Caló – 이어 춤추기

당신과 저가 겹치는 시간이 딱 한 딴다 정도밖에 안 되는 때가 있었습니다. 저는 밀롱가 중간에 가야 했었는데, 마지막 한 딴다 정도를 남겨놓았을 때, 당신이 밀롱가에 들어서는 모습을 보았습니다. 그때 깔로 딴다가 시작되었습니다. 주변과 인사하고 옷과 짐들을 챙겨놓고 드레스를 차려입으실 때까지, 그 딴다는 1곡이 지나가고 또 1곡이 지나갔습니다. 그 시간이 왜 그리도 길게 느껴지던지요. 3번째 곡이라 말씀드리며 춤을 청하고 우리는 차분하면서도 낭만적인 곡들에 춤을 추었습니다. 그 짧은 2곡 시간들에서도 저는 서두르지 않고 그 시간들을 잘 즐겼던 듯합니다. 아쉬움도 컸지만, 그 여운을 곱씹을 수 있음에 감사하면서 강변북로를 달렸습니다.

그리고 일주일이 지나고 당신은 또 제 앞에 나타나셨습니다. 마침 또 깔로 음악이 나오고 있었습니다. 그리움이 병이 되기 전에 당신은 나타나 주셨습니다. Marion의 그 노래처럼 나풀나풀거리는 햇살의 기운이 가득한 듯했습니다. 우정의 색깔이 한층 더 입혀진 듯했습니다.

그렇게 당신과 이어서 이어서 오래도록 춤췄으면 좋겠습니다.

여기까지가 끝이라 해도

바이올린이 울고 있었다
반도네온이 울고 있었다
트럼펫이 울고 있었다
루피노가 울고 있었고
비아지가 울고 있었다
라꿈빠르시따가 울고 있었다
현이 울면 건반이 울었고
관이 울면 목소리가 따라 울었다

우리는 여느 때처럼 춤을 추었다
여느 때처럼 추다가 누구는 눈물을 보였다
여느 때처럼 누구는 아브라소가 행복해서 웃었다
눈물을 보였던 그 누구도 딴뚜리 뜨로일로는 마냥 좋았다
인비에르노에서는 빠블로-노엘리아 마지막 춤을 떠올렸다
우리 모두가 오늘이 마지막 시간임을 알고 있었지만
상실감은 묘한 행복감과 뒤섞였다

여기까지가 끝이라 해도
부디 잘 지내시오
그대들 다시 만나오

꼬르띠나의 시간

인생의 한때 가장 가까웠으나
다시 멀어질 운명 속에서
그때는 쿨하게 보내야 하리
선물처럼 은혜처럼 그대 왔으니
다정한 눈빛으로 배웅하면 그만이리
꼬르띠나의 시간이 지나면
아브라소의 시간이 다시 오고
다시 또 한 번 꼬르띠나의 시간이 오리라

탱고로의 초대

너는 누구냐

저는 아르헨티나 탱고입니다

스페인어로 땅고라고 불립니다

탱고 너는 누구냐

저는 커플 춤입니다

한 쌍의 사람이, 주로 남자와 여자가 안고서

음악을 함께 귀 기울여 들으며 추는 춤입니다

탱고 너는 정녕 누구냐

저는 두 사람이 함께 걸으며 추는 춤입니다

정형화된 루틴 없이 최소한의 약속만을 가지고

한쪽은 리드하고 한쪽은 팔로우하며

그러나 서로 신호를 주거니 받거니 하면서

세상에 단 하나밖에 없는 동선을 그리는 춤입니다

살론 탱고 너는 누구냐

저는 보통 사람들이 출 수 있는, 동작이 절제되고

그러나 매우 우아하고 아름다운 춤입니다

그 춤은 어렵지도 않고 쉽지도 않습니다

다만 한 꺼풀 한 꺼풀 알아갈수록 매혹적이어서

중독되고야 마는 춤입니다

네가 탱고를 아느냐

모른다고도 할 수 없지만 잘 안다고도 할 수 없습니다

5부 능선 뒤에 6부 능선이 기다리고 있는 것처럼

동네 산 위에 북한산이, 북한산 위에 히말라야 산이 있는 것처럼

탱고는 급히 땔 수도, 정복할 수도 없습니다

산중의 바람과 꽃내음을 즐기듯 그렇게 즐길 뿐입니다

정녕 네가 탱고를 아느냐

탱고는 각 사람들 속에 각각의 형태로 자리잡습니다

각각의 추억으로 각각의 근육의 움직임으로 기억되고

각각의 욕망과 절망, 질투와 선망, 결의와 체념입니다

지독한 소통이자 잡힐 듯 잡히지 않는 밀당입니다

글로서는 편린만을 조금의 편린만을 보여줄 수밖에 없습니다

이쪽 세상으로 한번 건너오시길

천지개벽 - 그것은 아니어도

미시혁명 - 그대 삶의 미시혁명일 수도 있으니!